An Tolg Draíochta

Carmel Uí Cheallaigh & Jimmy Burns

Lá amháin, dúirt Daidí go raibh
rud éigin iontach aige dúinn.

Céard a bhí ann ach tolg nua!

“Ar fheabhas!” arsa Mamaí.

Thosaigh mé ag póirseáil ina chúl.

Thíos ar chúl tháinig mé ar fháinne cluaise diamante.

“Shuigh banphrionsa álainn ar an tolg seo tráth,”
arsa Mamaí.

An chéad rud eile,
d'aimsigh mé seanbhonn.

"Shuigh milliúnaí mórtasach ar an tolg seo tráth,"
arsa Mamaí.

Ansin d'aimsigh mé
liathróidín bán.

"Shuigh sárlaoch spóirt ar an tolg seo tráth," arsa Mamaí.

Crián mór dearg
a d'aimsigh mé ansin.

"Shuigh ealaíontóir iontach ar an tolg seo tráth,"
arsa Mamaí.

An Tolg Draíochta

Ar deireadh d'aimsigh mé
ticéad bus gioblach.

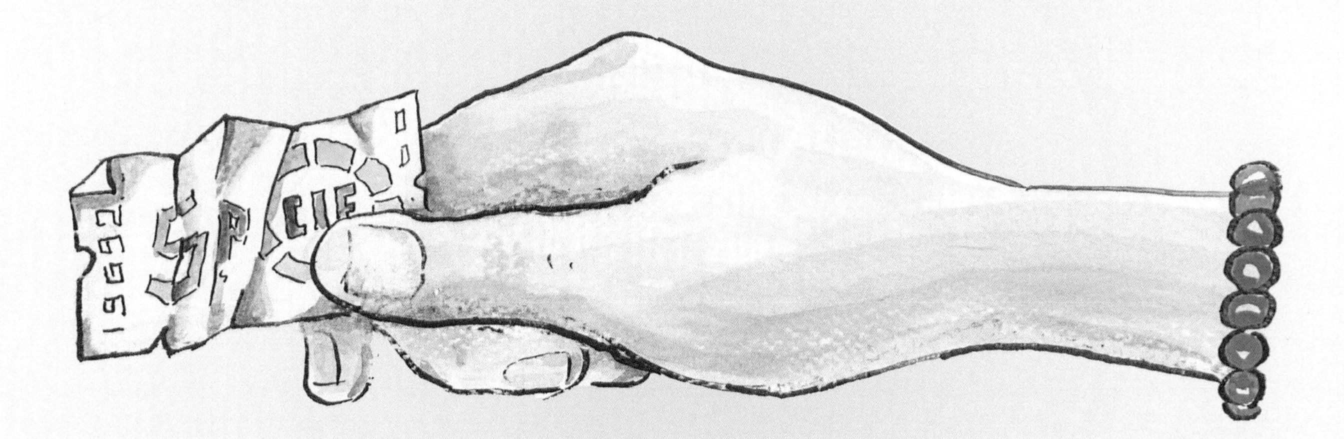

"Shuigh taiscéalaí clúiteach ar an tolg seo tráth,"
arsa Mamaí.

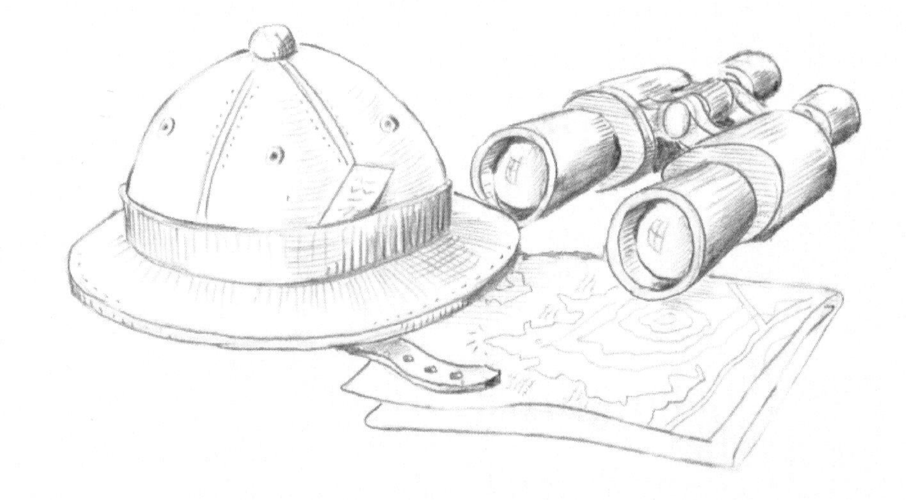

An Tolg Draíochta

Ansin bhí mé tuirseach traochta ar fad.

"Cá bhfuair tú an tolg seo i ndáiríre?"
a d'fhiafraigh mé de Dhaidí.

Ach leis sin, d'aimsigh mé grianghraf caite thíos ar chúl.

Mise agus Daidí agus Mamaí atá ann agus...
Féach!

Ní banphrionsa álainn atá ann, ná milliúnaí mórtasach,
ná sárlaoch spóirt.

Ní ealaíontóir iontach atá ann, ná taiscéalaí clúiteach ...
Ach...

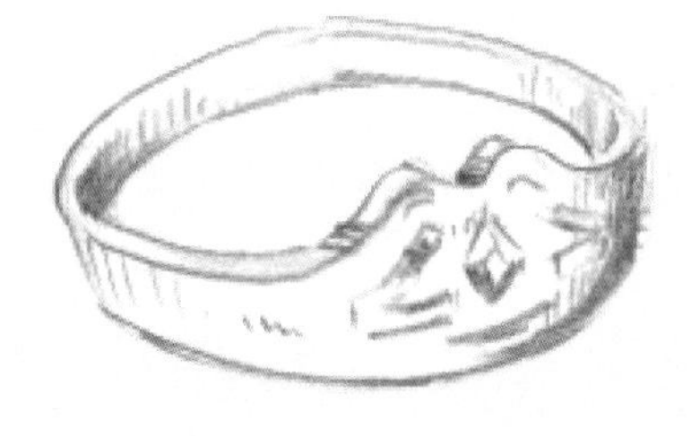

Mamó!!!

An Tolg Draoíchta
le Carmel Uí Cheallaigh & Jimmy Burns

Foilsithe ag Abú agus Elm Books 2015
www.elmbooks.ie

ISBN 978-0-9931989-0-8